TI A FI'N GWNEUD TÎM

I Gabriel – sydd yn wych ym mhob ffordd
dwi'n dy garu – S.P-H. xx

Cyflwynwn y llyfr i bob cwpan te sydd â tholc ynddo – S.S.

Cyhoeddwyd yn 2020 gan Wasg y Dref Wen,
28 Heol Yr Eglwys, Yr Eglwys Newydd,
Caerdydd CF14 2EA, ffôn 029 20617860.

Cyhoeddiad Saesneg gwreiddiol 2020 gan Simon & Schuster UK Ltd,
1St Floor, 222 Gray's Inn Road, Llundain WC1X 8HB
dan y teitl *I'm Sticking With You*.

Cyhoeddwyd gyda chymorth ariannol Cyngor Llyfrau Cymru.

Argraffwyd yn China

TI A FI'N GWNEUD TÎM

Smriti Halls a Steve Small
Addaswyd gan Gwynne Williams

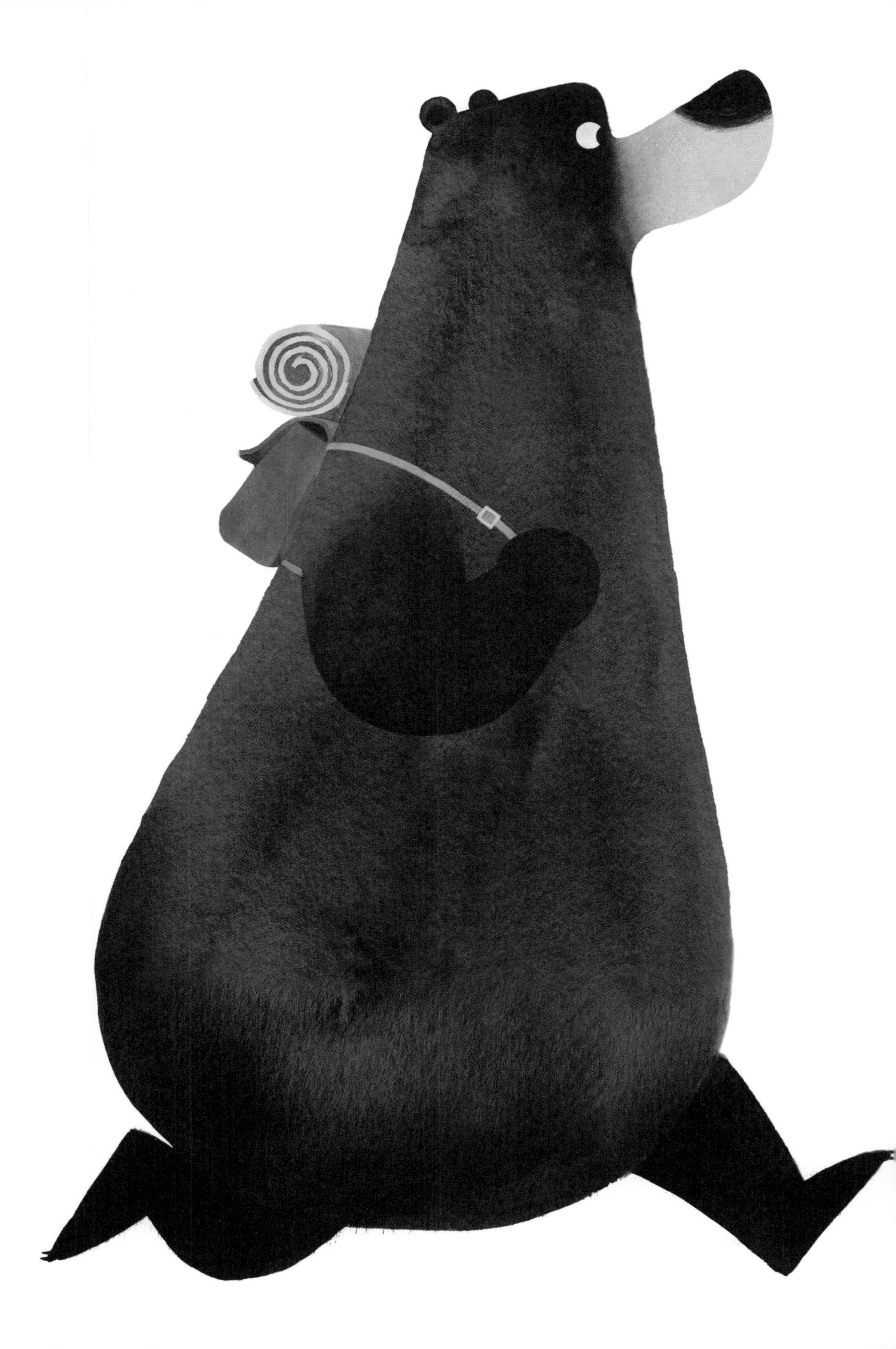

Ble bynnag rwyt ti'n mynd,
Nawr cofia di, pwt,

Fe fydda i'n dilyn

Yn dynn wrth dy gwt.

Os wyt ti'n ddigalon

Neu'n gwneud rhywbeth ffôl,

Dwi yma i edrych

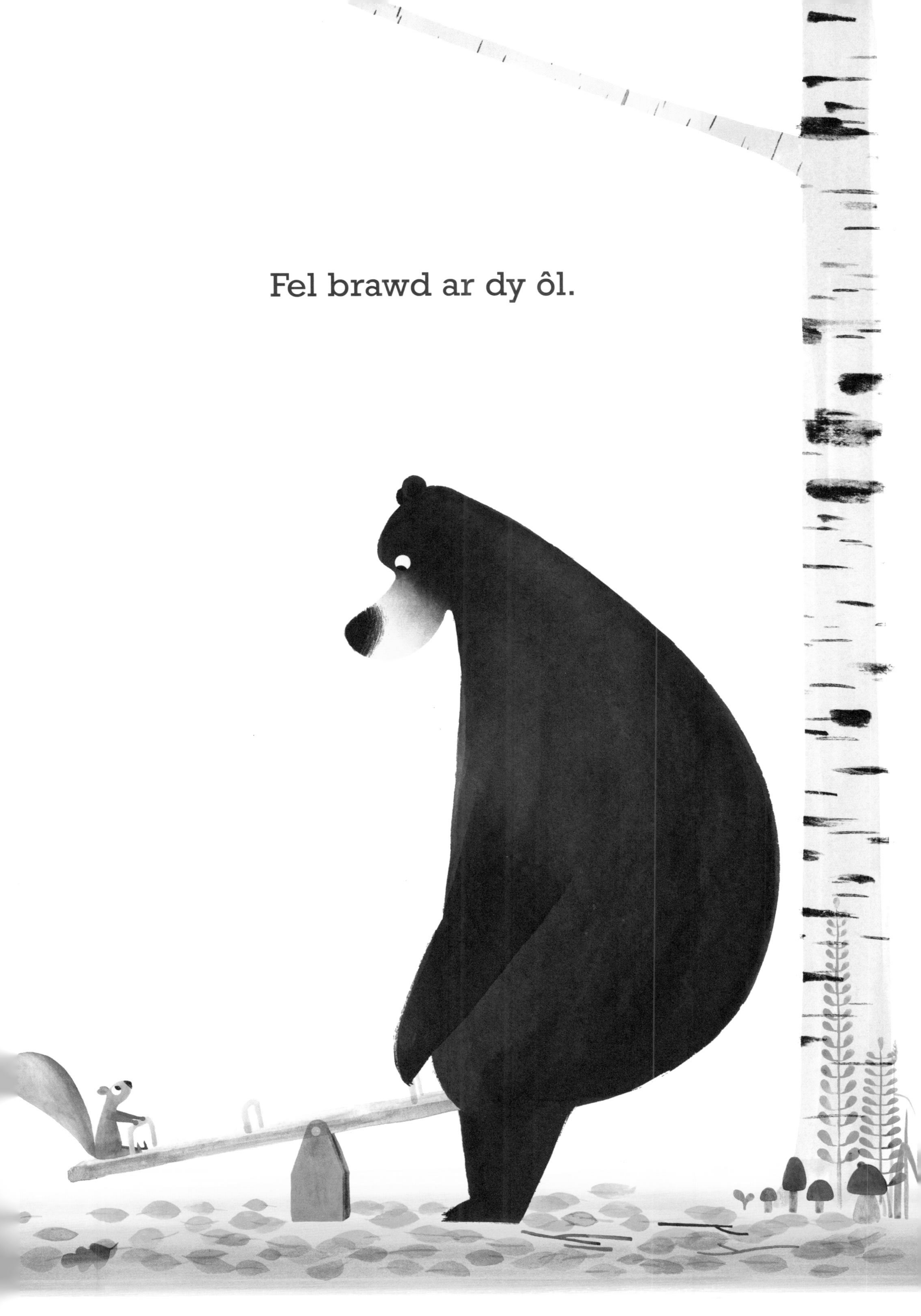

Fel brawd ar dy ôl.

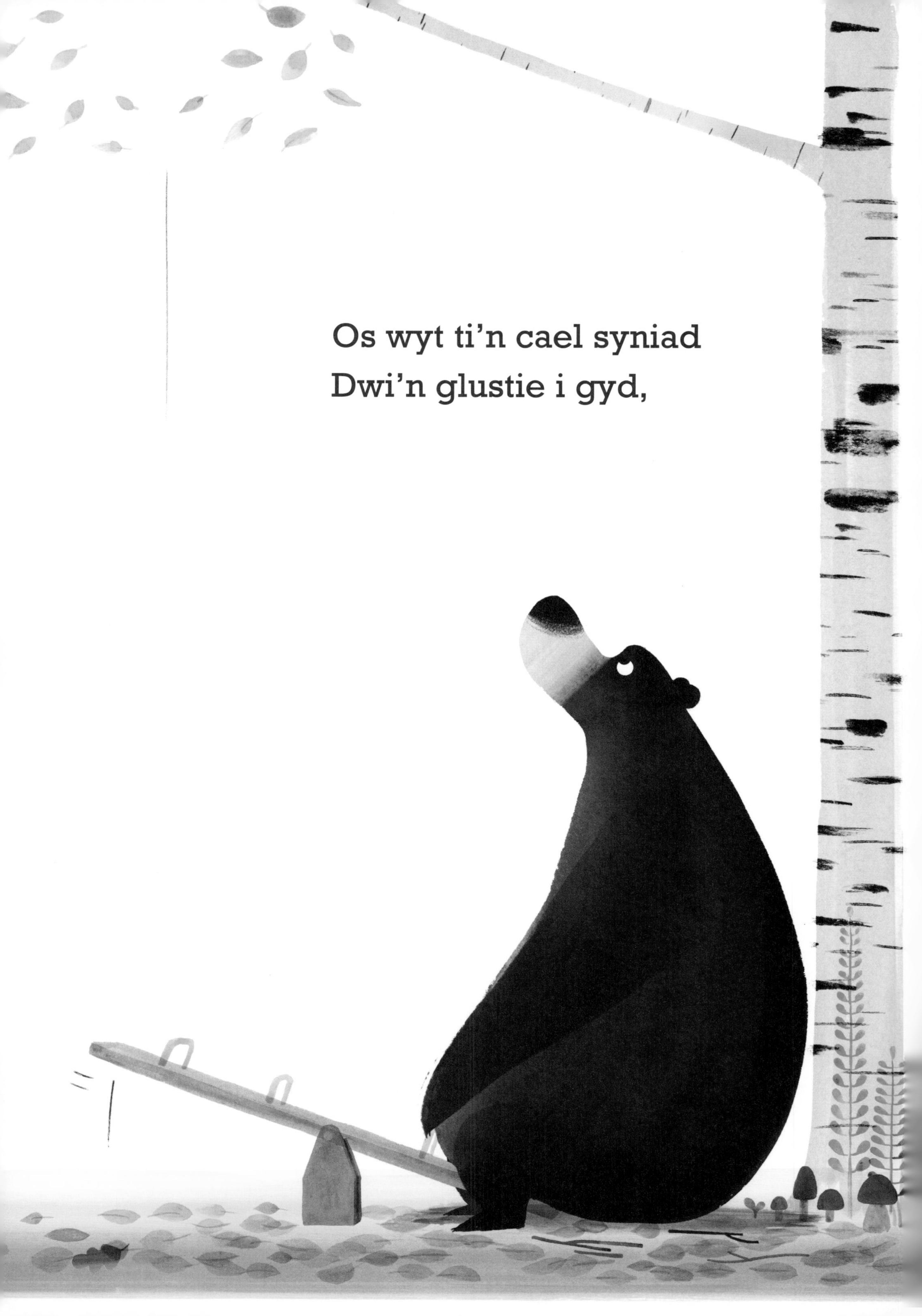

Os wyt ti'n cael syniad
Dwi'n glustie i gyd,

Wrth dy ymyl i wrando

O hyd ac o hyd.

Dwi'n barod i helpu –

Mae hynny yn ffaith –

Er mod i'n gwneud pethe

Reit od ambell waith!

Dwi'n hoffi cydchwarae
A chael hwyl a sbri,

Gan neidio yn uchel,
Yn union fel ti.

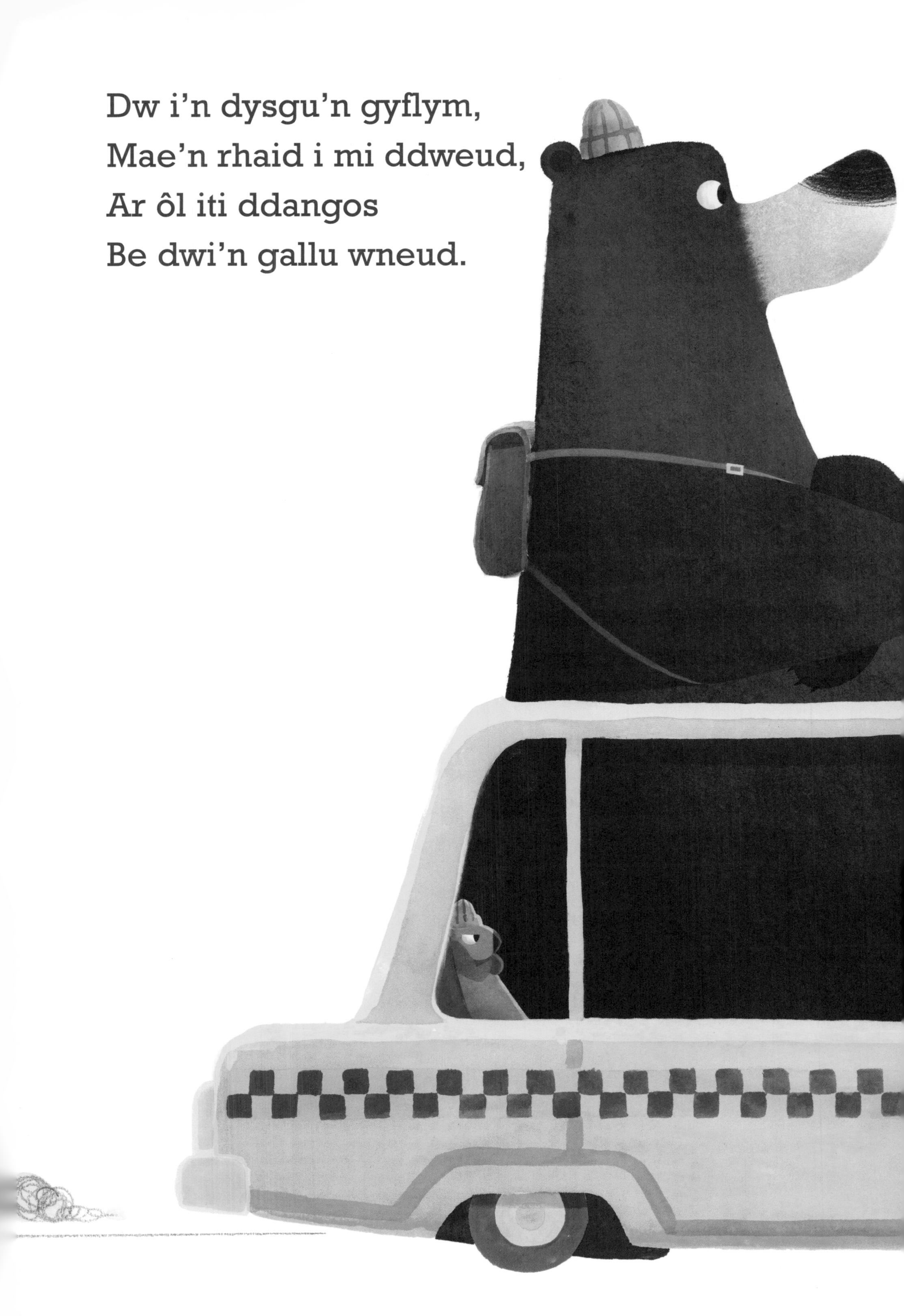

Dw i'n dysgu'n gyflym,
Mae'n rhaid i mi ddweud,
Ar ôl iti ddangos
Be dwi'n gallu wneud.

Os wyt ti mewn helynt,
Neu os wyt ti ddim,
Fel mefus a hufen
’Dyn ni’n dau fel tîm.

Os wyt ti yn crwydro
Mor bell â'r North Pôl

Mi fydda i'n dŵad
Bob cam ar dy ôl.

Ynghanol yr eira
Â phob man yn wyn
Beth am gael picnic
Bach blasus fan hyn?

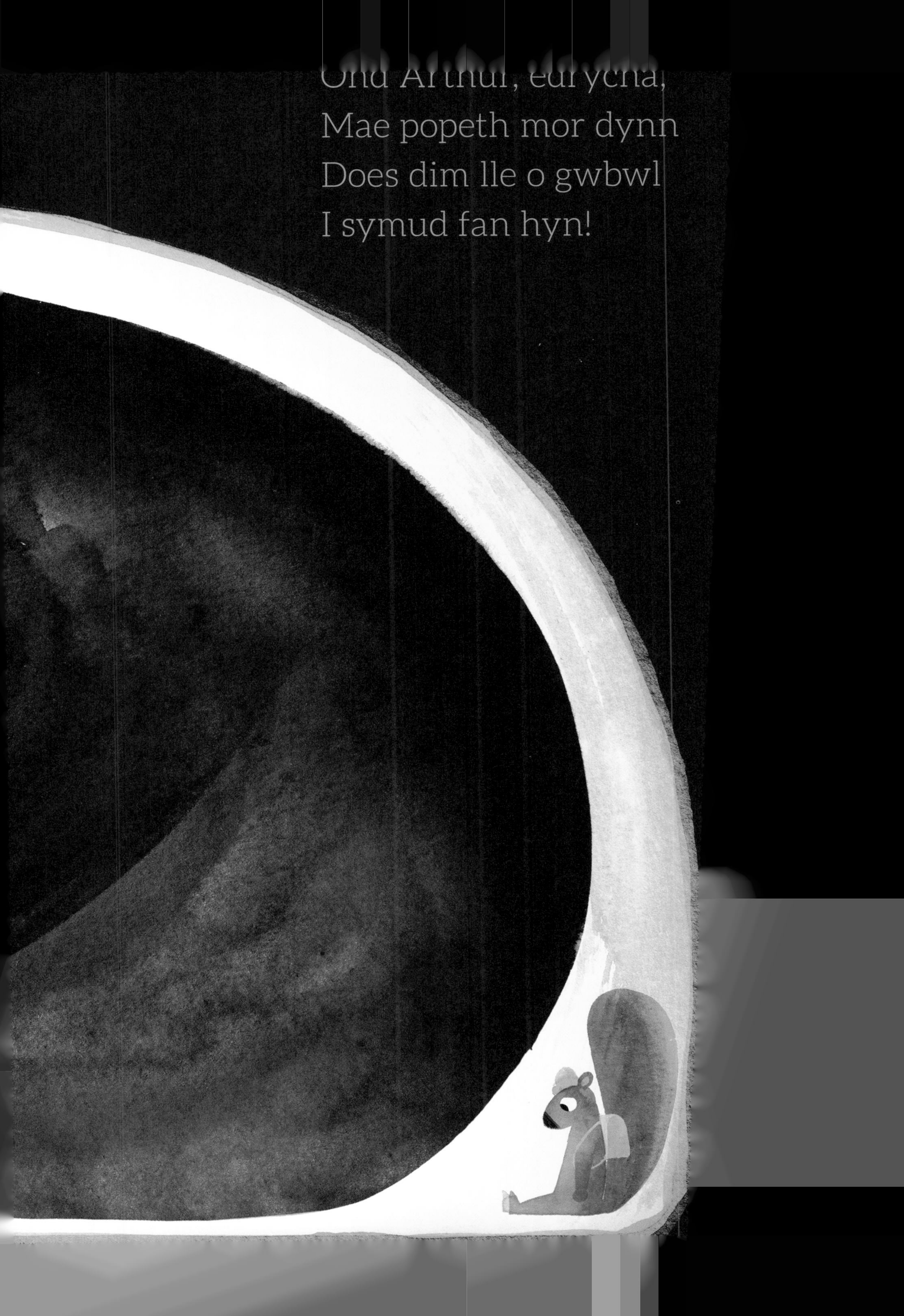

Ond Arthur, edrycha,
Mae popeth mor dynn
Does dim lle o gwbwl
I symud fan hyn!

Wel wir, dwi yn sori
Bod gen ti ddim lle
Ac os dwi yn niwsans

Dwi'n gadael! Ocê?

Waw! Dyna chi welliant.

Mae'r tŷ ma mor glyd.

Does neb yn fwy hapus

Na fi yn y byd!

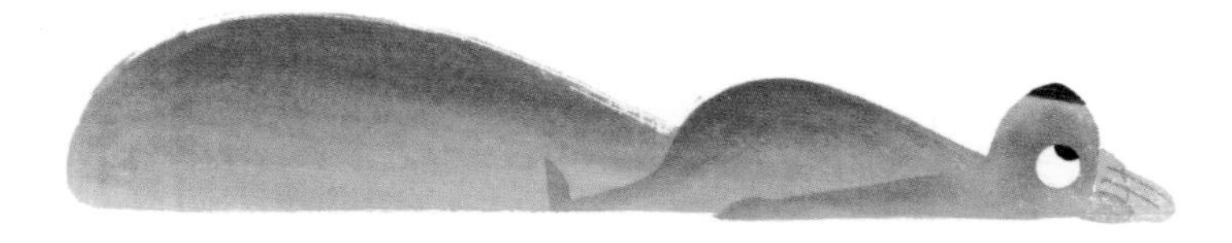

Mae'n gymaint o newid

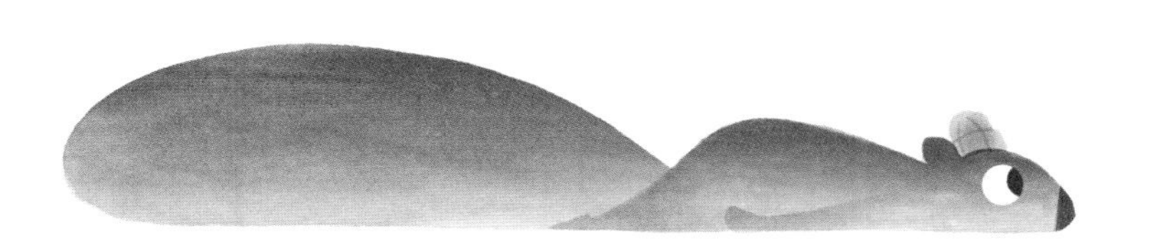

I gael lot o le

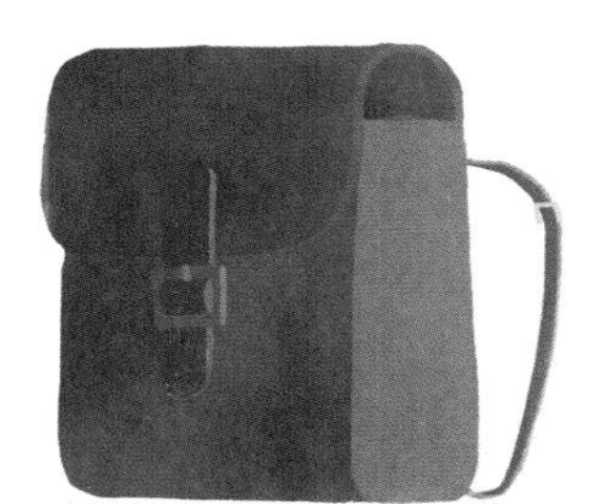

Dwi'n teimlo fel canu

A gweiddi hwrê!

Mae'n braf bod fy hunan
O hyd ac o hyd
A heb orfod meddwl
Am rannu dim byd.

Ond er mod i'n hapus,
Dwi bron mynd o 'ngho
O achos dwi'n teimlo
Ar goll ... hebddo fo!

Mae'n ddrwg gen i, onest.
Mi fues i'n ffôl.
O Arthur! O Arthur!
Plîs, plîs tyrd yn ôl!

Beth faswn i, tybed,
Heb gyfaill fel ti
Sy'n hapus i rannu
Pob peth efo fi?

Rwyt **ti'n** rhannu popeth –

Dy siocled a'th gnau,

Oes rhywrai yn unman
Mor glos â ni'n dau?

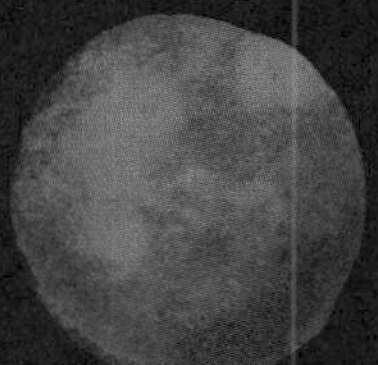

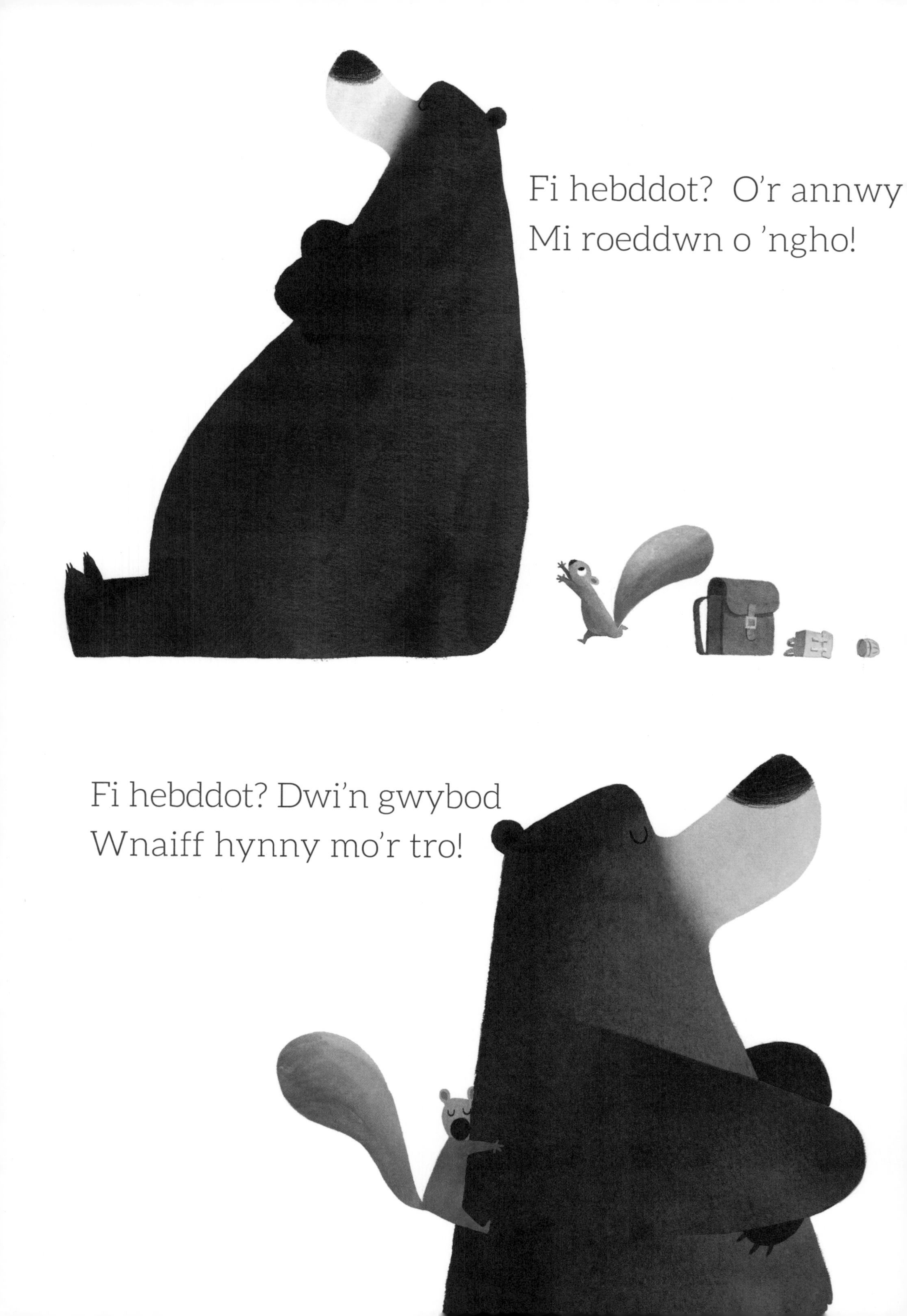
Fi hebddot? O'r annwy
Mi roeddwn o 'ngho!
Fi hebddot? Dwi'n gwybod
Wnaiff hynny mo'r tro!

Ond NI efo'n gilydd
Er gwaeth neu er gwell,

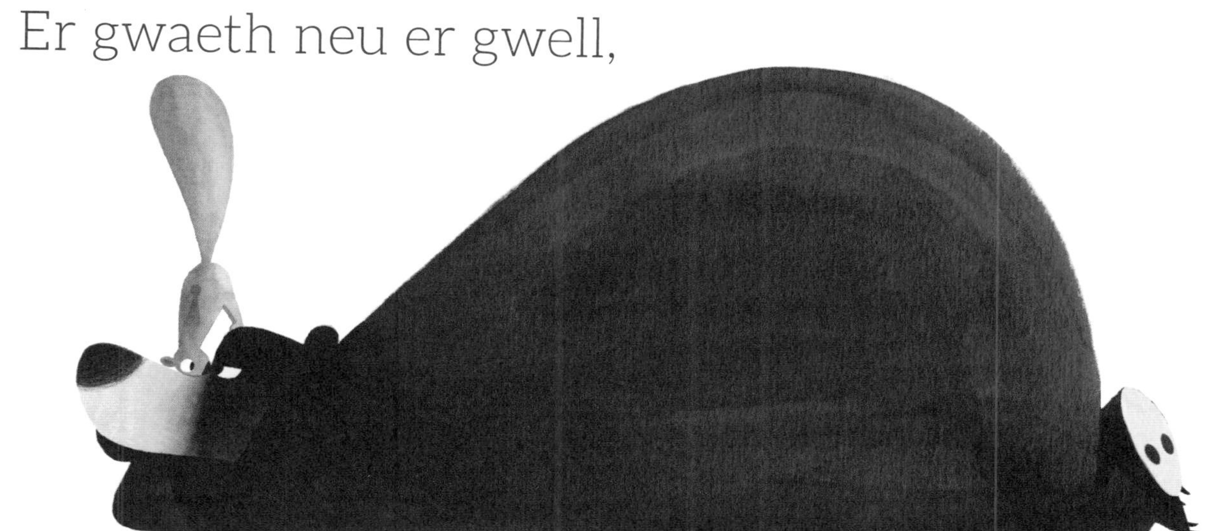

Fe fyddwn NI'n llwyddo
A mynd yn bell, bell.

Ac felly dwi'n addo,
Mewn heulwen neu law,
Y byddwn ni'n agos,
Beth bynnag a ddaw.

Os bydd pethau'n torri
Cydweithiwn yn graff
Yn trwsio a thwtio
I'w gwneud nhw yn saff.

Os bydd pethau weithiau'n
Mynd allan o le,
Beth gwell na chael donyt
A phaned o de?

Fe fyddwn ni'n aros
Yn agos byth mwy,
Fel jam coch mewn donyt,
Fel melyn mewn wy.

AC FELLY os ei di
I ben pella'r byd,
Fe lynaf i atat
Yn fwy tyn na glud.

'Dyn ni'n dîm a hanner.
Mae hynny yn glir
A dwi yn dy garu ...

Tŷ
Clyd

… A DYNA TI'R GWIR!